Copyright © 2003 Uitgeverij Clavis, Amsterdam - Hasselt
Dual language copyright © 2004 Mantra Lingua
First published in 2003 by Uitgeverij Clavis, Amsterdam - Hasselt
First dual language publication in 2004 by Mantra Lingua
All rights reserved
A CIP record for this book is available from the British Library.

Published by Mantra Lingua
5 Alexandra Grove, London N12 8NU
www.mantralingua.com

Shamwari dza Floppy

Floppy's Friends

Guido van Genechten

Shona translation by Derek Agere

mantra

Mazuva ose chikoro chapera, Floppy
akaenda kunotamba ne shamwari dzake.
Shamwari dza Floppy dzenge dzaka siyana
siyana, vapfupi, varefu ne marudzi akawanda...

Every day, after school,
Floppy went out to play
with his friends.
Floppy's friends were all
sizes and colours but…

vaingotamba netsuro
dzaka fanana naivo.

they only ever played with the rabbits
who looked like them.

"Dai tai tamba tose,"
akafunga Floppy.

"I wish we could all play together,"
thought Floppy.

Pakutanga Floppy akamhanya kunotamba
donhedza karoti netsuro chena.

First Floppy ran to play don't-drop-the-carrot
with the white rabbits.

Floppy haana kana kumbodonhedza karotsi,
nyangwe paisvetuka negumbo rimwero.

Floppy didn't drop the carrot once,
not even when he hopped on one leg.

Floppy vaitamba mutambo unonzi bururuka se ndege,
netsuro dzinemavara emakore ezhizha. Vaisimudza tsuro
mudenga vobva vamusairira mhara pasi kunge ndege.
"Mudenga, mudenga!" akashaura Floppy.
"Chenjera paunomhara."

Next Floppy played fly-a-kite with the grey rabbits.
"Up, up and away!" chanted Floppy.
"But watch your landing."

Ndobva Floppy atamba svetuka svetuka netsuro pfumbu.
"Svetuka mudenga nekusvetuka uko!" akashaura Floppy.

Then Floppy played leapfrog with the brown rabbits.
"Jump up and jump over!" chanted Floppy.

Floppy akatamba chitima nditakure ne tsuro nhema.
"Ndingave mutyairi here?" akabvunza Floppy.
"Hongu," akadavira tsuro nhema.
Vakaranagarira nguva Floppy aiva pakati pechitima,
akakonzera njodzi yakakura!

Finally Floppy played trains with the black rabbits.
"Can I be the driver?" asked Floppy.
"Ok," said the black rabbits. They remembered the last time Floppy
was in the middle of the train, he caused the most enormous crash!

Mangwana masikati paiva netsuro yoga yakamira
pasi pemuti. Mavara ake anga asiri machena kana
emakore ezhizha. Anga asiri pfumbu kana matema.
Anga akasangana pfumbu ne machena.
Akatarisa tsuro dzese dzai tamba dzichifara akakungura
kuti apindewo mumafaro aya. Asi se mutsva hapana
vaiziva ende zve haiziva mutambo vacho.

The next afternoon under a tree stood a lonely little rabbit.
He wasn't white and he wasn't grey. He wasn't brown and
he wasn't black. He was dappled brown and white.
He watched all the rabbits having fun and wished that he could join in.
But being new he didn't know anybody and he didn't know their games.

Apo Floppy akaona tsuro itsva akaenda
akanoti. "Hesi, ndinonzi, Floppy.
Zita rako unonzi ani?" akabvunza.
"Samy," akadavira tsuro anemavara
machena ne pfumbu.
"Huya titambe," akadaro Floppy.
"Asi handizive mitambo yenyu,"
akadavira Samy.
"Hazvina basa. Ndino kudzidzisa
mitambo yedu," akadavira Floppy.

When Floppy saw the new rabbit he
went over to him. "Hi, I'm Floppy.
What's your name?" he asked.
"Samy," said the dappled rabbit.
"Come and play," said Floppy.
"But I don't know how to play
your games," said Samy.
"Don't worry. I'll show you,"
said Floppy.

Floppy akaratidza Samy mitambo unonzi donhedza makarotsi.
Floppy akatakura karotsi pamusoro wake akatanga kufamba.
"Ende wakaoma," akadaro Samy.

Floppy showed Samy don't-drop-the-carrot.
Floppy put the carrot on his head and off he went.
"Cool," said Samy.

Saka yenge ya nguva ya Samy. Akatakura karotsi pamusoro wake.
"Hona, zvirinyore!" akadaro Floppy.

Then it was Samy's turn. He put the carrot on his head.
"See, it's easy!" said Floppy.

"Manje ini ndinoziva mitambo inonakidza,"
akadaro Samy, "svetuka, mira, mheterwa."
"Unoitamaba sei?" akabvunza Floppy.
"Unosvetuka, womira nekuridza mheterwa. WHEEE!"
"Zvakanaka!" akaseka Floppy.

"I know a really cool game,"
said Samy, "skip-stop-whistle."
"How d'you play that?"
asked Floppy.
"You skip, stop and whistle:
Wheeee!"
"Cool!" laughed Floppy.

Dzimwe tsuro dzakauya
kuzoona kuti zvii zvirikuitika.
"Uyu ndi Samy," akadaro Floppy.
"Samy," akaseka tsuro muhombe.
"Anofanira kunzi mavara mavara."
Vose vakaseka kunze kwa
Floppy na Samy.

The other rabbits came to see what was going on.
"This is Samy," said Floppy.
"Samy," giggled a big rabbit. "He should be called Spotty."
They all laughed, all except Floppy and Samy.

"Mavara! Mavara! Sa-my ane mavara!"
dzimwe tsuro dzakashaura.

"Spotty! Spotty! Sa-my is spo-tty!"
the other rabbits chanted.

"Zvirege!" akapopota Floppy.
"Samy anoziva mutambo unonakidza."
"Ho nhai! Unonzi chi?"

"Stop it!" shouted Floppy.
"Samy knows a really cool game."
"Oh yeah! What's that?"

"Unonzi, svetuka muchitima, svetuka uchimira, uchiridza mheterwa, uchitakura karotsi pamusoro wako."
"Unoitamba sei?" akabvunza tsuro muhombe.

"Fly-a-carrot-kite-leapfrog-on-the-train with a skip, stop and whistle."
"How d'you play that then?" asked the big rabbit.

"Zvaunoita," akadaro Floppy. "Unotakura karotsi
pamusoro wako, muchisvetuka muchitima
nekuridza mheterwa. WHEEE!"
Tsuro dzese dzakatamba kutamba
mitambo wa Samy.

"Well," said Floppy. "You put a carrot on your
head, fly-a-kite, leapfrog-on-the-train,
skip, stop and whistle: WHEEEE!"
All the rabbits joined in
Samy's cool game.

Shamwari dzese dza Floppy vakatamba vose!

And ALL Floppy's friends played together!